GAEL
Y EL ARTE DE LA TRAICIÓN

UNA NOVELA GRÁFICA DE ERNESTO RODRÍGUEZ

GAEL
Y EL ARTE DE LA TRAICIÓN

UNA NOVELA GRÁFICA DE **ERNESTO RODRÍGUEZ**

Título: *Gael y el arte de la traición*
Texto e ilustraciones: Ernesto Rodríguez

Coordinación editorial y pedagógica: Roberto Castón (ilusionoptica.es)
Redacción: Roberto Castón
Glosario y actividades: Ernesto Rodríguez
Concepto gráfico cubierta e interior: Oscar García Ortega, Pablo Garrido
Maquetación: Oriol Frias

Fotografías: (página 68) 88and84 / Alberto Masnovo / Brian Scantlebury / Tomas1111 / dreamstime.com; Joan Cortadellas / elperiodico.com.

Agradecimientos del autor:
Quiero agradecer a Agnès Berja su ayuda y cariño durante todo el proceso de creación de esta novela gráfica.

ISBN: 978-84-17249-62-5
Impreso en España por Novoprint

difusión
Centro de
Investigación y
Publicaciones
de Idiomas, S. L.

C/ Trafalgar, 10, entlo. 1ª
08010 Barcelona
Tel. (+34) 93 268 03 00
Fax (+34) 93 310 33 40
editorial@difusion.com

www.difusion.com

GAEL

Y EL ARTE DE LA TRAICIÓN

UNA NOVELA GRÁFICA DE ERNESTO RODRÍGUEZ

Índice

Presentación

Gael y el arte de la traición es la tercera historia de Gael, un ladrón de guante blanco que, en esta ocasión, tiene que ejecutar el robo más difícil de su vida, en el museo más importante de Barcelona, si no quiere ser entregado a la policía. Nuestro protagonista se ve envuelto en una trama en la que poco o nada es lo que parece, y en la que va a necesitar la ayuda de sus amigos: Miclaus, Paloma y Claudia.

Gracias a las imágenes y al uso de un lenguaje sencillo, vas a poder seguir esta emocionante historia hasta el final y disfrutar de la lectura en español. Además, puedes acercarte a la lengua que se oye en la calle, llena de expresiones coloquiales.

Para facilitar la lectura, al final del libro hay un amplio glosario en cuatro idiomas (inglés, francés, alemán y portugués). Por último, te proponemos actividades para comprobar tu comprensión de lectura, aumentar y consolidar tu vocabulario o profundizar en aspectos culturales.

Esperamos que disfrutes de *Gael y el arte de la traición* y te deseamos una interesante y divertida lectura.

GAEL PALOMA MICLAUS

Es un ladrón de guante blanco. Hace más de un año que vive una vida tranquila y anónima en Barcelona.
Su rutina se rompe cuando un desconocido aparece en su vida con una propuesta: colaborar con él en un robo millonario.

Es una ladrona especializada en casas particulares. Tiene una relación con Gael desde hace más de un año, después de vivir juntos una apasionante aventura en Mallorca (*Gael y las sombras de la huída*).

Es el socio y mejor amigo de Gael. Hace algunas semanas que su novia Claudia ha roto con él. Ahora mismo, es un hombre que no levanta cabeza.
No sabe que, en los próximos días, su relación con Gael también va a pasar por momentos difíciles.

ANÍBAL

Es un chico joven de buena família que quiere ser ladrón. Es una persona calculadora y fría que disfruta fastidiando la vida de otras personas.

CLAUDIA

Es amiga de Gael y ha trabajado muchas veces con él (como en *Gael y la red de mentiras*). Hace poco que ha roto su relación sentimental con Miclaus porque sospecha que no le ha sido fiel.

IGNACIO

Es el director de Alpha Security, una de las empresas de seguridad más importantes del mundo. Hace unos años que se ha casado con la marquesa de Argentona, la madre de Aníbal. Viven los tres juntos en una bonita casa en el mejor barrio de la ciudad. Ignacio odia a Aníbal, y viceversa.

UNA CASA BONITA, EN UN BARRIO AGRADABLE, EN UNA CIUDAD MARAVILLOSA...

¿QUÉ MÁS PUEDO PEDIR?

HASTA LUEGO, BREZO.

¡IGUAL!

¡HOLA! ¡YA ESTOY AQUÍ!

HOLA, CARIÑO, ¿QUÉ TAL?

MUY BIEN... ¿Y TÚ? ¿ME HAS ECHADO DE MENOS?

MUCHO. ¿QUIERES ECHAR UNA SIESTA?

NO, NO PUEDO PEDIR NADA MÁS.

UN RATO DESPUÉS.

MMMH...
HUMMM...

VOY A DAR DE
COMER A BREZO.

AHAM... YO ME QUEDO
AQUÍ UN RATO MÁS,
¿TE IMPORTA?

SIN
PROBLEMA.

ES TARDE...
HA SIDO UNA SIESTA
UN POCO LARGA.

¡BREZO!
¿TIENES
HAMBRE?

¿BREZO?

EDITORIAL
DIFUSIÓN
PRESENTA...

...UNA NUEVA
NOVELA GRÁFICA DE
ERNESTO RODRÍGUEZ

GAEL Y EL ARTE DE LA TRAICIÓN

¿MI ATENCIÓN? ¿PARA QUÉ?

PARA PROPONERTE UN NEGOCIO...

¿QUÉ CLASE DE NEGOCIO?

QUIERO TRABAJAR CONTIGO...

EN UN ROBO...

¿DE QUÉ HABLAS?

GAEL, NO SOY POLICÍA

NO LLEVO NINGÚN MICRÓFONO,

PUEDES ESTAR TRANQUILO.

¿POR QUÉ TENGO QUE CREERTE?

PORQUE, SI QUIERES, PUEDES DENUNCIARME AHORA MISMO POR ROBAR A TU PERRO...

...PERO NO LO VAS A HACER, ¿VERDAD?

PORQUE NO QUIERES SABER NADA DE LA POLICÍA,

NI YO TAMPOCO ¿DE ACUERDO?

HUMM...

VALE, YA TIENES MI ATENCIÓN.

GRACIAS.

TENGO UN PLAN QUE PUEDE HACERTE RICO.

SÉ QUE TIENES UN SOCIO: MICLAUS.

ES ÉL QUIEN HABLA CON LOS CLIENTES Y TÚ EJECUTAS EL ROBO.

PERO YO NO SOY UN CLIENTE,

POR ESO NO HE CONTACTADO CON MICLAUS.

YO QUIERO TRABAJAR SOLO CONTIGO.

EN ESTE PENDRIVE TIENES TODA LA INFORMACIÓN QUE NECESITAS SABER:

TAMBIÉN HAY UNA COPIA DE TODA LA INFORMACIÓN PERSONAL QUE TENGO SOBRE TI.

EL OBJETO QUE QUIERO ROBAR Y EL DINERO QUE VAS A GANAR POR EL TRABAJO.

VOY A DAR ESA INFORMACIÓN A LA POLICÍA SI NO ACEPTAS TRABAJAR CONMIGO.

NO VOY A TRABAJAR CONTIGO SI ME CHANTAJEAS.

SI NO ERES TONTO, SEGURO QUE VAS A ACEPTAR EL TRABAJO.

TIENES MI NÚMERO DE TELÉFONO EN LA INFORMACIÓN DEL PENDRIVE.

PERO SI NO LO ACEPTAS, QUIERO ESTAR SEGURO DE QUE NO VAS A DELATARME.

QUIERO UNA RESPUESTA ANTES DE 48 HORAS.

SI NO HAY RESPUESTA, VOY A ENTREGARTE A LA POLICÍA.

UN RATO MÁS TARDE, EN CASA DE GAEL.

NO ENTIENDO NADA.

PRIMERO ROBA EL PERRO

Y LUEGO TE DICE QUE QUIERE TRABAJAR CONTIGO...

¿QUÉ CLASE DE PERSONA ES ESE AXEL?

ES UN CHICO JOVEN, PARECE AMBICIOSO.

¿Y CONFÍAS EN ÉL?

POR SUPUESTO QUE NO.

PERO TENGO CURIOSIDAD.

QUIERO VER QUÉ PLAN TIENE...

...Y QUÉ QUIERE ROBAR.

QUIERO VER QUÉ SABE SOBRE MÍ...

...Y CÓMO HA CONSEGUIDO TODA ESA INFORMACIÓN.

1. LA DAMA LABRADORA

Descripción:
Escultura de la Dama Labradora
Renacimiento y Barroco
119 x 39 mm.
Número de catálogo: 004354-0070
Siglo: xv
Talla en alabastro con diamantes incrustados
Tema: Religión / Oficios
OFERTA: 1 000 000 euros

Gael, gracias por colaborar conmigo.
En este pendrive hay dos archivos:

En el archivo 1 está la información sobre el objeto que quiero conseguir. En ese archivo también está la oferta de lo que vas a ganar por este trabajo. ¿Es un millón de euros una buena oferta? Yo creo que sí.

En el archivo 2 está toda la información que tengo sobre ti. Si eres inteligente, vas a saber cómo la he conseguido.

Un saludo,

A.

2.

[...]
el informe O8J755 de la Policía de Mallorca dice: el sospechoso del robo en la mansión Duschek tiene el seudónimo de Gavilán.

Este ladrón es también el sospechoso en los casos A-0095 (un cuadro de Picasso en las Galerías Von Butterhoff) y E-020784 (una escultura de Gargallo en el Museo Reina Sofía de Madrid).

[...]

ESTE CHICO SABE DÓNDE VIVO, CONOCE MIS RUTINAS Y TODA CLASE DE INFORMACIÓN PERSONAL SOBRE MÍ.

¡TAMBIÉN TIENE INFORMACIÓN PRIVADA DE TODOS LOS ROBOS QUE HEMOS HECHO MICLAUS Y YO!

PERO ESA INFORMACIÓN SOLO LA TENEMOS NOSOTROS DOS...

HACE TRES SEMANAS.

¡ERES UN CERDO, MICLAUS!

CLAUDIA, TE JURO QUE NO SÉ QUIÉN ES ALEXIA.

¡ESO ES MENTIRA!

ALEXIA ME HA REENVIADO LOS CORREOS QUE LE HAS ENVIADO A ELLA.

¡HAS INTENTADO PONERME LOS CUERNOS!

¿QUÉ? ¿CÓMO?

DE: alexia@mail.es PARA: miclau5@mail.es
Asunto: Conferencias Informática
¡Hola, Miclaus! Gracias por la información de las conferencias sobre nanotecnología en el CCCB. ¿Quieres ir conmigo? ¿Puedes darme tu número de teléfono? Un beso.
Alexia

DE: miclau5@mail.es PARA: alexia@mail.es
Pues claro que quiero ir contigo. Es un placer ir a las conferencias en el CCCB con una chica tan guapa como tú.
Quiero conocerte en persona ya. Mi número de teléfono es el 77839098. Un beso.
M

¡ALEXIA EN REALIDAD ES AXEL!

CLAUDIA, CARIÑO, NO ES LO QUE TÚ CREES...

EN UNO DE ESOS EMAILS, LE PROPONES PASAR UN FIN DE SEMANA JUNTOS.

AXEL HA LLEGADO A MÍ A TRAVÉS DE MICLAUS.

MIERDA, MICLAUS...

SOLO TE DIGO UNA COSA, MICLAUS...

...VETE A LA MIERDA.

CLAUSTRO DE LA FACULTAD DE LETRAS DE LA UNIVERSIDAD DE BARCELONA, 11 DE LA MAÑANA DEL DÍA SIGUIENTE.

MICLAUS NO ES EL MISMO DESDE SU RUPTURA CON CLAUDIA.

AHORA SIEMPRE ESTÁ TRISTE, MELANCÓLICO.

LEE POESÍA Y BEBE HASTA TARDE.

SE HA DESPERTADO EL HOMBRE BOHEMIO QUE HAY DENTRO DE ÉL.

BOHEMIO Y UN POCO PATÉTICO.

¡RRRIIIINNNGGG!

ÚLTIMAMENTE, MICLAUS ES, SOBRE TODO, PATÉTICO Y TORPE.

¿DIGA?

MICLAUS, SOY GAEL. TENEMOS QUE HABLAR...

SÉ QUIÉN ES ALEXIA.

¿EN SERIO?

HOLA, GAEL.

¿HAS ENCONTRADO ALGO SOBRE AXEL?

LO SIENTO, PERO NO.

HE PIRATEADO LA CUENTA DE ALEXIA PERO EN SU BANDEJA DE ENTRADA SOLO ESTÁN LOS CORREOS QUE YO LE HE ENVIADO.

CREO QUE AXEL NO ES SU NOMBRE REAL.

AXEL HA CREADO ESA CUENTA SOLO PARA EL PERSONAJE DE ALEXIA.

CREO QUE DETRÁS DEL PERSONAJE DE ALEXIA HAY OTRO USUARIO DEL FORO QUE SE LLAMA ANÍBAL.

EN OTRAS PALABRAS, ALEXIA EN REALIDAD ES AXEL, QUE EN REALIDAD SE LLAMA ANÍBAL...

DE ACUERDO, HASTA LUEGO.

SÍ, ESO CREO.

JODER, MICLAUS. NO ME HAS AYUDADO MUCHO.

QUIZÁS CAMBIAR DE SOCIO NO ES TAN MALA IDEA...

DICE QUE SE LLAMA AXEL, PERO SOSPECHO QUE SU NOMBRE REAL ES ANÍBAL.

ALEXIA ES SOLO UN PERSONAJE QUE HA INVENTADO PARA LLEGAR HASTA MÍ Y PIRATEAR MI CORREO ELECTRÓNICO.

Y TÚ HAS CAÍDO EN LA TRAMPA...

CLAUDIA, TE JURO QUE NUNCA TE HE SIDO INFIEL...

QUIZÁS NO ME HAS SIDO INFIEL, PERO SÍ QUE HAS SIDO TORPE.

ESE CHICO HA SIDO MÁS LISTO QUE TÚ.

SÍ, TIENES RAZÓN. ESE CHICO HA JUGADO CONMIGO Y ME HA USADO PARA JODER A MI MEJOR AMIGO Y MI SOCIO.

Y AHORA, GAEL ESTÁ DECEPCIONADO CONMIGO.

POR ESO TE LLAMO.

PORQUE TE NECESITO.

¿QUÉ QUIERES DE MÍ?

HAZ LO QUE MEJOR SABES HACER: ESPIAR.

BAR KALOPSIA, BARRIO DE GRACIA. 18:14.

Cavalry

GRACIAS POR ACEPTAR MI OFERTA DE TRABAJO, GAEL.

NO HE ACEPTADO NADA.

SOLO TENGO CURIOSIDAD.

NO VOY A SEGUIR SI NO ACEPTAS COLABORAR.

NO VOY A TRABAJAR CONTIGO SI ME OBLIGAS.

VOY A COLABORAR SI EL TRABAJO ME INTERESA...

PORQUE YO SOY UN PROFESIONAL, ¿Y TÚ?

PUES CLARO QUE SOY UN PROFESIONAL.

¿CREES QUE UN AFICIONADO TIENE UN PLAN...

...COMO ESTE?

¡OSTRAS!

CADA SALA ALPHA ES INACCESIBLE POR UNA RAZÓN DIFERENTE.

HAY SALAS ALPHA DEBAJO DEL MAR, HAY SALAS ALPHA LLENAS DE SERPIENTES VENENOSAS...

EN ESTE CASO, LA SALA ALPHA ES UNA SALA DE SILENCIO.

UNA SALA INSONORIZADA DE UNOS 30 M², LLENA DE ULTRAMICRÓFONOS CAPACES DE DETECTAR EL MÁS MÍNIMO SONIDO.

EL RETO ES ENTRAR, COGER LA DAMA LABRADORA, Y SALIR DE ALLÍ SIN HACER NINGÚN RUIDO.

¡JODER!

SÍ, ES MUY DIFÍCIL. UN TRABAJO PARA EL MEJOR.

¿QUÉ ME DICES?

¿ERES EL MEJOR O NO?

UN RATO DESPUÉS, EN LA PLAZA DE LA VIRREINA, EN GRACIA.

¿YA SABES CÓMO HE CONSEGUIDO TODA LA INFORMACIÓN SOBRE TI?

SÍ... GRACIAS A MICLAUS.

ERES LA ALEXIA DEL FORO DE INTERNET.

BINGO. ¿Y YA SABES CUÁL ES MI NOMBRE REAL?

... ANÍBAL.

¡BINGO OTRA VEZ!

ESTA VEZ MICLAUS HA HECHO ALGO BIEN, ¿EH?

CREES QUE ERES MUY LISTO.

MÁS QUE MICLAUS, SÍ.

TOMA ESTE TELÉFONO, SOLO TIENE UN NÚMERO GUARDADO, EL MÍO.

A PARTIR DE AHORA, NOS VAMOS A COMUNICAR SOLO POR ÉL.

DE ACUERDO.

¡NOS VEMOS!

¡HASTA PRONTO!

MÁS TARDE, EN CASA DE GAEL Y PALOMA.

...EL CASO ES QUE TENEMOS POCO TIEMPO PARA PREPARAR EL ROBO.

EL "DÍA D" ES DENTRO DE 10 DÍAS.

¿HABLAS EN SERIO?

¿VAS A TRABAJAR CON ESE CHICO?

NO SÉ QUÉ DECIRTE...

EL CHICO HA PREPARADO BIEN EL PLAN.

ME HA EXPLICADO TODO CON DETALLE DURANTE HORAS.

ADEMÁS, ENTRAR EN LA SALA ALPHA ES UN RETO BRUTAL.

¿PERO CONFÍAS EN ÉL?

NO, NO PUEDO CONFIAR EN ÉL, CLARO QUE NO.

NO PUEDO CONFIAR EN ALGUIEN MÁS INTELIGENTE QUE YO...

...MI VENTAJA ES QUE YO TENGO MÁS EXPERIENCIA.

ANÍBAL...

EL SEÑOR CON BIGOTE SE HA IDO DE LA SALA.

LA CASA ES PROPIEDAD DE IGNACIO MARTÍNEZ DE CASTRO.

BARRIO DE PEDRALBES.

HE ENCONTRADO EN LA RED ALGUNOS DATOS DE IGNACIO MARTÍNEZ.

ATENCIÓN: ES DIRECTOR DE UNA EMPRESA MULTINACIONAL DE SISTEMAS DE SEGURIDAD, ALPHA SECURITY.

VAYA, VAYA, VAYA...

IGNACIO SE HA CASADO HACE SOLO 4 AÑOS CON HELENA GAYA.

ES LA MARQUESA DE ARGENTONA, VIUDA DEL MARQUÉS DE ARGENTONA, DON EUGENIO DE VIDAURRETA.

LA SEÑORA HELENA GAYA TIENE UN HIJO DE SU DIFUNTO ESPOSO

ESE HIJO SE LLAMA ANÍBAL DE VIDAURRETA GAYA.

EL MALDITO ANÍBAL.

34

¿ANÍBAL ES HIJO DE UNA MARQUESA?

CASA DE GAEL, A LA MAÑANA SIGUIENTE.

FALTAN 9 DÍAS PARA EL "DÍA D".

SÍ. LA MARQUESA DE ARGENTONA.

LOS DOS VIVEN EN LA CASA DEL ACTUAL MARIDO DE LA MARQUESA, IGNACIO MARTÍNEZ.

ES EL DIRECTOR DE UNA MULTINACIONAL DE SISTEMAS DE SEGURIDAD QUE SE LLAMA ALPHA SECURITY.

SEGURO QUE SON LOS QUE HACEN LAS SALAS ALPHA.

EL PLAN DE ANÍBAL ES ROBAR UNA DE ESAS SALAS.

UN MOMENTO, ¿ANÍBAL QUIERE ROBAR A SU PADRASTRO?

ESO PARECE.

VAMOS A HACER UNA COSA...

...MAÑANA POR LA MAÑANA, PALOMA VA A IR A CASA DE ANÍBAL.

CASA DE ANÍBAL, 10:30 DE LA MAÑANA.

FALTAN 8 DÍAS PARA EL "DÍA D".

ÉL Y YO NOS REUNIMOS MAÑANA A LAS 11.

A LAS 10:30, ÉL VA A SALIR DE CASA.

Y TÚ, PALOMA, VAS A ENTRAR EN SU CASA.

NECESITO ENCONTRAR TODA LA INFORMACIÓN DEL ROBO QUE ANÍBAL NO QUIERE COMPARTIR CONMIGO.

EL VALOR REAL DE LA DAMA LABRADORA. LA IDENTIDAD DEL CLIENTE, LOS CÓDIGOS... TODO.

TODO LO QUE ÉL SABE DE ESTE PLAN QUIERO SABERLO YO TAMBIÉN.

ANÍBAL DICE QUE NO HAY NINGÚN CLIENTE.

NADIE QUIERE COMPRAR ESA ESCULTURA.

SUPONGO QUE ANÍBAL TIENE ALGÚN PLAN PARA LA DAMA LABRADORA.

QUIZÁS LA QUIERE USAR PARA HUMILLAR A SU PADRASTRO.

¿VOSOTROS HABÉIS ENCONTRADO ALGO?

SÍ, TODA LA INFORMACIÓN DE SU ORDENADOR PORTÁTIL ESTÁ EN ESTA MEMORIA EXTERNA.

MICLAUS ME HA AYUDADO A DESBLOQUEAR EL ORDENADOR Y A HACER UNA COPIA DE TODOS SUS ARCHIVOS.

YA ERES NUESTRO, ANÍBAL.

AHORA TENEMOS QUE ENCONTRAR EL PLAN DEL ROBO.

TENGO QUE BUSCAR ENTRE TODOS LOS ARCHIVOS QUE PALOMA HA COPIADO.

NO VA A SER FÁCIL.

PERFECTO, MICLAUS, CONFÍO EN TI.

QUIERO SABER SI EL PLAN DE ANÍBAL ES INFALIBLE O NO.

SI NO ES UN PLAN PERFECTO, NO VOY A TRABAJAR CON ÉL.

GARAJE DE GAEL.

FALTAN 7 DÍAS PARA EL "DÍA D".

NO SÉ SI VOY A ACEPTAR EL TRABAJO, PERO TENGO QUE ESTAR PREPARADO.

TENGO UNA SEMANA PARA ENTRENAR.

MADRE MÍA, ANÍBAL TIENE MUCHO PORNO.

NO ENCUENTRO LOS PLANES DEL ROBO POR NINGÚN LADO...

A VER...

BUSCAR: "DAMA LABRADORA"...

NO... NO HAY NADA...

HACE UNOS DÍAS QUE NO SACO DE PASEO A BREZO Y QUE NO DUERMO LA SIESTA CON PALOMA.

ES RARO, PERO NO ECHO DE MENOS MI VIDA TRANQUILA Y MONÓTONA DE ANTES.

AHORA MISMO, ESTOY DEMASIADO OCUPADO EN ESTE JUEGO.

EN ESTE EXTRAÑO JUEGO DE ANÍBAL.

¿QUÉ SECRETOS?

EL PRIMER SECRETO ES SOBRE EL PLAN.

EN EL PLAN DE ANÍBAL, ÉL ENTRA EN UNA SALA DE CONTROL QUE HAY EN EL MNAC Y ABRE TU ACCESO A LA SALA ALPHA.

DE ESTA FORMA, NECESITAS A DOS PERSONAS PARA EL ROBO.

ENTRADA SALA ALPHA

SALA DE CONTROL

A

B

ANÍBAL TE HA DICHO QUE LA PUERTA A SOLO SE ABRE DESDE EL CONTROL B.

PERO HE ENCONTRADO UNA MANERA DE ABRIR LA PUERTA A, Y NO DESDE EL CONTROL B.

A

B

ENCIMA DE LA PUERTA DE LA SALA ALPHA HAY UN SISTEMA DE APERTURA DE EMERGENCIA.

PODEMOS USAR ESE SISTEMA DE EMERGENCIA.

TÚ ABRES LA PUERTA DE LA SALA ALPHA, TÚ ENTRAS EN LA SALA ALPHA...

TÚ COGES LA DAMA LABRADORA...

TÚ Y SOLO TÚ MERECES TENER LA DAMA LABRADORA.

MICLAUS, YO NO QUIERO ESA ESCULTURA.

YO QUIERO EL DINERO DE ANÍBAL.

OH, PERO ES QUE HAY OTRO SECRETO DE ANÍBAL QUE NO SABES.

PEDRALBES, 19:50.

FALTAN 3 DÍAS PARA EL "DÍA D".

¡VETE A LA MIERDA!

ESA NO ES FORMA DE HABLAR A TU PADRE.

ESTE SEÑOR NO ES MI PADRE.

¡SILENCIO!

DÉJAME EN PAZ.

¡INÚTIL! ¡ERES UN INÚTIL!

VÁMONOS, IGNACIO.

NO QUIERO MÁS GRITOS.

BUSCA UN TRABAJO YA, COÑO.

HAZ ALGO CON TU VIDA.

OH, TRANQUILO, IGNACIO.

PRONTO TE VOY A DAR UNA GRAN SORPRESA.

¡MADRE MÍA! ¡QUÉ PELEA!

ANÍBAL Y SU PADRASTRO SE ODIAN.

SUPONGO QUE POR ESO QUIERE ROBARLE.

SEGURO. ANÍBAL NO ES UNA BUENA PERSONA. NO ES COMO TÚ.

TÚ SÍ QUE ERES BUENA PERSONA.

GRACIAS, CLAUDIA, PERO NO...

...YO SOLO SOY UN LADRÓN.

GAEL: Estoy delante de la puerta de la sala Alpha.

MICLAUS: Ok, ¿recuerdas el código Alpha?

GAEL: Sí.

MICLAUS ME HA DADO TODA LA INFORMACIÓN DEL PLAN DE ANÍBAL.

LAS SALAS ALPHA SON LA VANGUARDIA DE LOS SISTEMAS DE SEGURIDAD.

ES CASI IMPOSIBLE SALIR DE ESTA SALA.

PERO ES MUY FÁCIL ENTRAR EN ELLA, PORQUE NADIE HA CAMBIADO LA CONTRASEÑA: 0000.

TENGO QUE SUBIR A ESTE ÁRBOL...

...ACERCARME A LA APERTURA DE EMERGENCIA

Y MARCAR LA CLAVE: 0000

CLIC CLIC CLIC CLIC

COMO DIGO, ENTRAR EN LA SALA ES CASI UN JUEGO DE NIÑOS.

¡PIP!

¡BIEN!

¡CLIC!

BIEN, AHORA LA COSA SE COMPLICA...

TENGO QUE CAMINAR HASTA LA SIGUIENTE PUERTA...

...PERO... ¿DÓNDE ESTÁ?

¡AQUÍ ES!

AHORA TENGO QUE PONER EL CÓDIGO ALPHA.

UNO DE LOS CAMBIOS QUE HA HECHO MICLAUS EN LOS SISTEMAS DE SEGURIDAD DEL MUSEO ES PONER UN CÓDIGO ALPHA MUY DIVERTIDO.

EL NUEVO CÓDIGO ES: "ANIBAL_EL_MARQUÉS"

¡HA FUNCIONADO! SE HA ABIERTO LA PUERTA...

¡MOLA!

VAMOS, VAMOS, VAMOS...

CREO QUE NO ME HA VISTO NADIE.

TRANQUILO, GAEL. CAMINA TRANQUILO...

CUENTA HASTA CIEN...

YA, YA ESTOY...

PERO TAMBIÉN CREO QUE SE VE EL BULTO DE LA DAMA LABRADORA DEBAJO DE MI JERSEY...

UNO, DOS, TRES, CUATRO...

DOS DÍAS DESPUÉS. 7:30 DE LA MAÑANA DEL "DÍA D".

PUERTA TRASERA DEL MNAC.

ANÍBAL: Gael, estoy en la puerta de la sala de control, ¿estás en la puerta de la sala Alpha?

GAEL: Estoy preparado

ESTOY CONTESTANDO A ANÍBAL DESDE EL MÓVIL QUE TE HA DADO

ANÍBAL: De acuerdo.

HOLA, BUENOS DÍAS, TRABAJO EN ALPHA SECURITY.

ESTOY AQUÍ PARA HACER UN CONTROL DE SUS SISTEMAS DE EMERGENCIA.

¿UN PASE DE IGNACIO MARTÍNEZ, EL DIRECTOR?

TRABAJO CON ÉL, SOY SU HIJASTRO, ANÍBAL DE VIDAURRETA GAYA.

VALE. ADELANTE.

TENGO QUE IR RÁPIDO. ESTE GUARDIA SOSPECHA ALGO...

MARGARITA, ¿ESTÁS EN LA SALA DE CONTROL?

¿PUEDES COMPROBAR SI ANÍBAL DE VIDAURRETA GAYA TRABAJA PARA ALPHA SECURITY?

SÍ

DE ACUERDO.

VAMOS, MICLAUS, NO TENEMOS TODO EL DÍA.

¡VOY!

¿HAY ALGUNA NOVEDAD?

ANÍBAL ACABA DE ENTRAR EN LA TRAMPA.

ÉL PIENSA QUE VA A ABRIR LA PUERTA DE ACCESO A LA SALA ALPHA...

ANÍBAL: Voy a introducir la clave. Atento.

GAEL: Sí.

  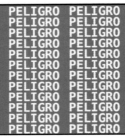 

¿QUÉ ESTÁ PASANDO?

¿QUÉ HAS HECHO?

¡LA ALARMA DE PELIGRO SE HA ACTIVADO!

¿HAS INTENTADO ROMPER NUESTRO SISTEMA DE SEGURIDAD?

NO...

NO...

YO... LE JURO QUE SOY DEL...

...CONTROL DE SEGURIDAD DE...

NO TE CREO.

¡ES LA PRIMERA VEZ QUE VIENES!

¿QUÉ ERES? ¿UN LADRÓN?

NO...

NO...

¡¡¡NO!!!

JODER, JODER, JODER.

CHICO, NO SÉ QUIÉN ERES, PERO TE HAS METIDO EN UN BUEN PROBLEMA.

Y ASÍ ES COMO TERMINA EL "DÍA D" DE ANÍBAL: EN UNA TRAMPA.

ME PREGUNTO SI ANÍBAL VA A ENTENDER ALGÚN DÍA QUÉ HA PASADO EXACTAMENTE.

¿QUÉ VA A DECIRLE A LA POLICÍA?

¿QUÉ VA A DECIRLE A SU MADRE?

¿CÓMO VA A EXPLICAR A SU PADRASTRO QUE TENÍA SU PASE DE ACCESO?

¿QUIÉN VA A CREER AHORA SUS MENTIRAS?

FIN

Glosario

Glosario en inglés, francés, alemán y portugués

	INGLÉS	FRANCÉS	ALEMÁN	PORTUGUÉS
Página 6				
ladrón de guante blanco	white-collar criminal	escroc en col blanc	Dieb mit weißen Handschuhen	ladrão de elite
rutina	routine	routine	Routine	rotina
romper(se)	to break	(s')interrompre	(unter)brechen	quebrar(-se), interromper(-se)
propuesta	proposal	proposition	Angebot	proposta
robo	robbery	vol	Diebstahl	roubo
casa particular	private home	maison particulière	Privathaus	moradia privada
apasionante	exciting	passionnant, e	leidenschaftlich	apaixonante
socio	partner	partenaire	Partner	sócio
no levantar cabeza	to be down in the dumps	ne pas sortir la tête de l'eau	niedergeschlagen	não levantar cabeça, estar deprimido
Página 7				
de buena familia	from a good family	de bonne famille	aus guter Familie	de boa família
persona calculadora	calculating person	personne calculatrice	berechnende Person	pessoa calculadora
fastidiar	to ruin	gâcher	ärgern	incomodar, estragar
sospechar	to suspect	soupçonner	vermuten	suspeitar
fiel	faithful	fidèle	treu	fiel
marquesa	marchioness	marquise	Markgräfin	marquesa
viceversa	vice versa	vice versa	umgekehrt	vice-versa
Página 9				
conocer	to know	connaître	kennen	conhecer
Página 10				
clima	climate	climat	Klima	clima
playa	beach	plage	Strand	praia
monumentos	monuments	monuments	Bauwerke	monumentos

	INGLÉS	FRANCÉS	ALEMÁN	PORTUGUÉS
alrededores de la ciudad	outskirts of the city	environs de la ville	Umland der Stadt	subúrbios, arredores da cidade
dar un paseo	to take a walk	se promener	spazieren gehen	dar um passeio

Página 11

barrio	neighbourhood	quartier	Stadtteil	bairro
agradable	nice	agréable	nett	agradável
maravillosa	wonderful	merveilleuse	wunderbar	maravilhosa
hasta luego	see you later	à tout à l'heure !	bis bald	até logo
echar de menos	to miss	manquer	vermissen	sentir a falta
echar una siesta	to take a nap	faire la sieste	Mittagsschlaf machen	dormir uma sesta

Página 12

un rato	a while	un moment	eine Weile	um pouco

Página 13

secuestrar	to kidnap	kidnapper	entführen	sequestrar, raptar
fuente	fountain	fontaine	Springbrunnen	fonte

Página 14

traición	betrayal	trahison	Verrat	traição

Página 15

llamar tu atención	to get someone's attention	attirer ton attention	deine Aufmerksamkeit wecken	atrair a tua atenção

Página 16

negocio	business	affaire	Geschäft	negócio
micrófono	wire	microphone	Mikrofon	microfone
denunciar	to report	dénoncer	anzeigen	denunciar

Página 17

cliente	client	client	Kunde	cliente
ejecutar	to carry out	réaliser	ausführen	executar, levar a cabo
chantajear	to blackmail	faire du chantage	erpressen	fazer chantagem

	INGLÉS	FRANCÉS	ALEMÁN	PORTUGUÉS
tonto	stupid	stupide	blöd	parvo, idiota
delatar	to give someone away	dénoncer	verraten	delatar, denunciar
respuesta	reply	réponse	Antwort	resposta
entregar a alguien (a la policía)	to hand someone over (to the police)	livrer quelqu'un (à la police)	Jemanden (bei der Polizei) anzeigen	entregar alguém (à polícia)

Página 18

ambicioso	ambitious	ambitieux	ehrgeizig	ambicioso
confiar	to trust	faire confiance	vertrauen	confiar
curiosidad	curiosity	curiosité	Neugier	curiosidade

Página 19

escultura	sculpture	sculpture	Skulptur	escultura
dama	lady	dame	Dame	dama
labradora	peasant	laboureuse	Feldarbeiterin	lavradora
alabastro	alabaster	albâtre	Alabaster	alabastro
incrustado	incrusted	incrusté	eingesetzt	incrustado
oficio	trade	métier	Beruf	ofício / profissão
oferta	offer	offre	Angebot	oferta
archivo	file	fichier	Datei	arquivo
sospechoso	suspect	suspect	Verdächtiger	suspeito
seudónimo	pseudonym	pseudonyme	Pseudonym	pseudónimo

Página 20

privada	private	privée	privat	privada
cerdo	pig	porc	Schwein	porco
jurar	to swear	jurer	schwören	jurar
mentira	lie	mensonge	Lüge	mentira
reenviar	to forward	renvoyer	weitersenden	reenviar
poner los cuernos	to cheat on someone	faire cocu	betrügen	pôr os cornos (ser infiel)
conferencia	conference	conférence	Konferenz	conferência
proponer	to suggest	proposer	vorschlagen	propor
ivete a la mierda!	go to hell!	va te faire foutre !	Geh zum Teufel!	vai à merda!

	INGLÉS	FRANCÉS	ALEMÁN	PORTUGUÉS
Página 21				
claustro	cloister	cloître	Kreuzgang	claustro
facultad	faculty	faculté	Fakultät	faculdade
ruptura	break-up	rupture	Trennung	rutura
triste	sad	triste	traurig	triste
melancólico	melancholic	mélancolique	melancholisch	melancólico
bohemio	bohemian	bohème	Müßiggänger	boémio
patético	pathetic	pathétique	pathetisch	patético
torpe	clumsy	maladroit	ungeschickt	torpe, desajeitado
¿diga?	hello?	allô ?	Hallo?	estou?
¿en serio?	seriously?	vraiment ?	Im Ernst?	a sério?
Página 22				
foro	forum	forum	Forum	foro
machista	misogynistic	machiste	chauvinistisch	machista
conquistar	win over	séduire	erobern	conquistar
Página 23				
humillante	humiliating	humiliant	demütigend	humilhante
silla	chair	chaise	Stuhl	cadeira
hora límite	deadline	heure limite	Frist	hora limite
decepción	disappointment	déception	Enttäuschung	deceção
Página 24				
piratear	to hack	pirater	hacken	piratear (copiar ilegalmente)
bandeja de entrada	inbox	boîte de réception	Posteingang	caixa de entrada (de e-mail)
personaje	character	personnage	Figur	personagem
usuario	user	utilisateur	Nutzer	usuário, utilizador
Página 25				
convencer	to convince	convaincre	überzeugen	convencer
infiel	unfaithful	infidèle	untreu	infiel

	INGLÉS	FRANCÉS	ALEMÁN	PORTUGUÉS
demostrar	to demonstrate	prouver	beweisen	demonstrar
inventar	to invent	inventer	erfinden	inventar
admitir	to admit	admettre	zugeben	admitir
error	mistake	erreur	Fehler	erro
falso	fake	faux	gefälscht	falso

Página 26

caer en la trampa	to fall for it	tomber dans le piège	in die Falle tappen	cair na armadilha
(ser) listo	(to be) clever	(être) intelligent	schlau	(ser) esperto
joder (a alguien)	to screw (someone) over	emmerder (quelqu'un)	(Jemandem) schaden	causar dano (a alguém)
decepcionado	disappointed	déçu	enttäuscht	dececionado
espiar	to spy	espionner	spionieren	espiar

Página 27

obligar	to force	obliger	zwingen	obrigar
(ser) un profesional	(to be) a professional	(être) un professionnel	ein Fachmann	(ser) um profissional
aficionado	amateur	amateur	Amateur	amador
¡ostras!	wow!	la vache !	Krass!	caramba!

Página 28

exponer	to be on show	exposer	ausstellen	expor
inaccesible	inaccessible	inaccessible	unzugänglich	inacessível
acceso	access	accès	Zugang	acesso
puerta	door	porte	Tür	porta
escaleras	stairs	escaliers	Treppen	escadas
subsuelo	basement	sous-sol	Untergrund	subsolo
código	code	code	Code	código

Página 29

¡joder!	Jesus!	putain !	Heftig!	raios (chiça, porra...)!
serpiente	snake	serpent	Schlange	serpente
venenosa	poisonous	vénéneux	giftig	venenosa

	INGLÉS	FRANCÉS	ALEMÁN	PORTUGUÉS
sala insonorizada	soundproof room	salle insonorisée	schalldichter Saal	sala insonorizada
capaz	capable	capable	imstande	capaz
ruido	noise	bruit	Lärm	ruído

Página 30

plaza	square	place	Platz	praça
¡bingo!	bingo!	bingo !	Bingo!	bingo / em cheio!
¡nos vemos!	see you later!	à bientôt !	Wir sehen uns!	vemo-nos por aí! (saudação)

Página 31

preparar	to prepare	préparer	vorbereiten	preparar
reto	challenge	défi	Herausforderung	desafio
brutal	real	hallucinant	krass	brutal
ventaja	advantage	avantage	Vorteil	vantagem

Página 32

tirar a la basura	to waste	jeter à la poubelle	in den Müll werfen	desperdiçar
juventud	youth	jeunesse	Jugend	juventude
vergüenza	embarrassment	honte	Schande	vergonha
malcriar	to spoil	élever mal	verziehen	educar mal
suave	soft	molle	lasch	suave
vago	lazy	fainéant	Faulpelz	indolente

Página 33

rico de cuna	rich from birth	riche de naissance	von Geburt an reich	nascido em berço de ouro (de boas famílias)
aburrirse	to get bored	s'ennuyer	sich langweilen	aborrecer-se

Página 34

bigote	moustache	moustache	Schnurrbart	bigode
propiedad de	owned by	propriété de	Eigentum von	propriedade de (pertence a)
casarse	to get married	se marier	heiraten	casar-se
viuda	widow	veuve	Witwe	viúva

	INGLÉS	FRANCÉS	ALEMÁN	PORTUGUÉS
difunto esposo	late husband	défunt mari	verstorbener Ehemann	falecido esposo

Página 35

marido	husband	mari	Ehemann	marido
padrastro	step-father	beau-père	Stiefvater	padrasto

Página 36

compartir	to share	partager	teilen	partihar
identidad	identity	identité	Identität	identidade

Página 37

ser claro	to be clear	être concis	die Wahrheit sagen	ser claro
arrepentirse	to regret	regretter	bereuen	arrepender-se
entretenimiento	play-thing	amusement	Zeitvertreib	diversão
niño pijo	posh kid	fils à papa	Geldsack	betinho

Página 38

humillar	to humiliate	humilier	demütigen	humilhar
ordenador portátil	laptop	ordinateur portable	Laptop	computador portátil
memoria externa	external memory	mémoire externe	Externe Festplatte	memória externa
desbloquear	unlock	débloquer	entsperren	desbloquear
ya eres nuestro	we've got you now	nous te tenons	Jetzt haben wir dich	já te temos / já cá cantas

Página 39

infalible	infallible	infaillible	sicher	infalível
garaje	garage	garage	Garage	garagem
entrenar	to practice	entraîner	trainieren	treinar

Página 40

carpeta	folder	fichier	Ordner	pasta
descubrir	to uncover	découvrir	entdecken	descobrir

Página 41

apertura	access	ouverture	Öffnung	abertura

	INGLÉS	FRANCÉS	ALEMÁN	PORTUGUÉS
emergencia	emergency	urgence	Notfall	emergência
merecer	to deserve	mériter	verdienen	merecer

Página 42

	INGLÉS	FRANCÉS	ALEMÁN	PORTUGUÉS
rica	rich	riche	reich	rica
ofrecer	to offer	offrir	bieten	oferecer
venganza	revenge	vengeance	Rache	vingança

Página 43

	INGLÉS	FRANCÉS	ALEMÁN	PORTUGUÉS
¡déjame en paz!	leave me alone	fiche-moi la paix !	Lass mich in Ruhe!	deixa-me em paz!
inútil	useless	inutile	Taugenichts	inútil
gritos	shouting	cris	Schreie	gritos
¡coño!	Christ!	putain !	Verdammt!	porra!
pelea	argument	dispute	Streit	discussão

Página 44

	INGLÉS	FRANCÉS	ALEMÁN	PORTUGUÉS
vanguardia	cutting edge	avant-garde	Avantgarde	vanguarda
contraseña	password	mot de passe	Passwort	contrassenha
acercarse	to get close	s'approcher	sich annähern	aproximar-se
subir	to climb	grimper	hochklettern	subir
juego de niños	child's play	jeu d'enfants	Kinderspiel	brincadeira de crianças

Página 45

	INGLÉS	FRANCÉS	ALEMÁN	PORTUGUÉS
complicarse	to get complicated	se compliquer	kompliziert werden	complicar-se
funcionar	to work	fonctionner	funktionieren	funcionar
¡mola!	cool!	c'est de la balle !	Geil!	fixe!

Página 47

	INGLÉS	FRANCÉS	ALEMÁN	PORTUGUÉS
bulto	lump	bosse	Bündel	vulto
jersey	jumper	pull-over	Pullover	camisola

Página 49

	INGLÉS	FRANCÉS	ALEMÁN	PORTUGUÉS
puerta trasera	back door	porte arrière	Hintertür	porta traseira
pase	pass	laissez-passer	Ausweis	passe

	INGLÉS	FRANCÉS	ALEMÁN	PORTUGUÉS
hijastro	stepson	beau-fils	Stiefsohn	enteado
guardia	guard	garde	Wache	guarda
(estar) atento	(to be) ready	(faire) attention	aufmerksam	(estar) com atenção

Página 50

activar	to activate	activer	aktivieren	ativar
alarma	alarm	alarme	Alarm	alarme
peligro	danger	danger	Gefahr	perigo

Página 52

saltar la alarma	to set off the alarm	enclencher l'alarme	Alarm aktivieren	disparar o alarme
escapar	to escape	s'échapper	entwischen	fugir
adónde	where	où	wohin	onde

Página 53

meterse en problemas	to get into trouble	se mettre dans de beaux draps	in Schwierigkeiten stecken	meter-se em problemas

Página 54

¿y ahora qué?	and now what?	et maintenant ?	Und nun?	E agora?
a cambio de	in exchange for	en échange de	für	a troco de
sensación que me llena	feeling I have	sensation qui me comble	Gefühl, das mich erfüllt	sensação que me enche (de liberdade)
libertad	freedom	liberté	Freiheit	liberdade

Actividades

Actividades

1. **¿Qué relaciones hay entre los siguientes personajes? Completa el esquema con los números correspondientes.**

1. hijo

2. marido

3. hijastro

4. novio

5. padrastro

6. amigo

7. exnovia

8. socio

9. exnovio

10. novia

11. mujer

12. madre

2. Después de leer esta aventura de Gael, ¿qué relación tiene la historia con el título "el arte de la traición"? ¿Qué traiciones hay en el libro?

....
....
....
....
....
....
....

3. ¿Quién realiza estas acciones en la historia? Escribe el número del personaje o personajes correspondientes.

1. Gael   **3.** Claudia   **5.** Aníbal
2. Paloma   **4.** Miclaus   **6.** Ignacio

Roba un animal de compañía.	
Entra en una casa privada.	
Sigue a alguien por la calle.	
Se echa una siesta.	
Discute con un familiar.	
Utiliza unos prismáticos.	
Quiere un socio para un trabajo.	
Miente sobre su nombre.	
Sufre un ataque informático.	
Utiliza una identificación falsa.	
Conduce un automóvil.	
Duerme delante de un ordenador portátil.	

4. **Estos lugares de Barcelona aparecen en esta historia de Gael. Relaciona las fotografías con los nombres y con las descripciones.**

A. Torres Mapfre

B. Torres venecianas

C. Museo Nacional de Arte de Cataluña

D. Parque de la Ciudadela

E. Plaza de la Virreina

☐ Es el museo más grande de Barcelona. Su colección de arte románico es una de las más importantes del mundo.

☐ Están en la Plaza España y son idénticas. Tienen 47 metros de altura y no están abiertas al público.

☐ Son dos de los rascacielos más altos de España. Uno es un edificio de oficinas y el otro es un hotel de lujo. Están en primera linea de mar.

☐ Esta plaza está en Gracia, uno de los barrios más populares y cosmopolitas de Barcelona. En ella está la parroquia de San Juan Bautista de Gracia.

☐ Ha sido, durante muchos años, el único parque público de la ciudad. El zoo de Barcelona y el Parlamento de Cataluña están aquí.

5. Preguntas de respuesta breve.

A. ¿Dónde vive Gael?

....

B. ¿Cómo se llama el barrio donde vive Aníbal?

....

C. ¿Cómo se llama la mascota de Paloma y Gael?

....

D. ¿A qué se dedica Ignacio?

....

E. ¿Cómo se llama la escultura que quiere Aníbal?

....

F. ¿Dónde se conocen Gael y Aníbal?

....

G. ¿Quién es la marquesa de Argentona?

....

H. ¿Quién es Katherine Craig?

....

6. Busca en las páginas indicadas, expresiones que signifiquen...

A. .... : dormir unas pocas horas por la tarde (p. 11).
B. .... : ser infiel a tu pareja (p. 20).
C. .... : despedirse de alguien con desprecio (p. 20).
D. .... : enorme, espectacular (p. 31).
E. .... : persona de familia rica (p. 33).
F. .... : mostacho, pelo que sale en el labio superior (p. 34).
G. .... : un chico de clase alta (p. 37).
H. .... : que gusta, que está muy bien (p. 46).

7. La historia de Gael sucede en Barcelona. Completa esta ficha de la información que aparece en el cómic sobre la ciudad.

El nombre de una calle: ....

El nombre de un barrio: ....

El nombre de dos monumentos: ....

El nombre de un bar: ....

El nombre de una plaza: ....

8. **¿Qué le responde Claudia a Miclaus? Completa esta conversación con la respuesta adecuada en cada caso:**

A. Sí... un poco.

B. ¿De qué quieres hablar?

C. ¿Crees que es buena idea?

D. Ah, ¿sí? ¿Y por qué?

E. De acuerdo, hasta mañana.

F. Vale...

9. Esta es la secuencia de acciones que explica cómo Aníbal se lleva a Brezo. ¡Ojo! Están desordenadas. Completa las oraciones con los verbos que tienes a continuación.

1. llevarse   **3.** subirse   **5.** gatear   **7.** trepar
2. saltar   **4.** poner   **6.** asomarse

A. Aníbal ..... al árbol que hay junto al muro.

B. Aníbal ..... al interior de la caseta.

C. Aníbal ..... al césped del jardín.

D. Aníbal ..... a Brezo.

E. Aníbal ..... el bozal a Brezo.

F. Aníbal ..... al muro.

G. Aníbal ..... hasta la caseta.

Ahora, ordena la secuencia de las acciones y escribe un texto cohesionado explicando el robo de Brezo. Puedes utilizar los conectores que tienes en el cuadro amarillo.

1º		2º		3º		4º		5º		6º		7º	

Ahora
Primero
Después
Luego
A continuación
En primer / segundo... lugar
Finalmente

10. Relaciona estos adjetivos con sus definiciones. Puedes buscarlos en las páginas indicadas.

A. tonta

B. vago

C. torpe

D. inútil

E. ambicioso

F. melancólico

G. machista

☐ Que tiene un deseo ardiente de conseguir, especialmente, poder, riquezas o fama (p. 18).

☐ Persona muy triste (p. 21).

☐ Alguien poco hábil (p. 21).

☐ Persona que prejuzga a una mujer por su género (p. 22).

☐ Persona poco inteligente (p. 25).

☐ Persona que no quiere trabajar (p. 32).

☐ Persona que no sirve para trabajar (p. 43).

11. Al principio de la historia, Claudia está enfadada con Miclaus. ¿Qué ha pasado entre ellos? Explícalo con tus propias palabras.

12. Paloma se pregunta cómo es Aníbal. ¿Qué puedes decir de él? Escribe una descripción física y de carácter del personaje.

....

....

....

....

13. Repasa el plan de Aníbal para robar la Dama Labradora (pp. 20 y 21) y di si estas afirmaciones son verdaderas o falsas.

	V	F
Hay más de una sala Alpha en el mundo.		
Todas las salas Alpha tienen el mismo sistema de seguridad.		
La puerta de la sala Alpha se abre con la huella dactilar.		
La sala Alpha donde está la Dama Labradora está debajo del museo.		
La sala mide menos de 20 m².		
El acceso a la sala Alpha está al lado de unas escaleras.		
La Dama Labradora nunca se expone al público.		

14. Escribe la versión de la historia que crees que Aníbal va a contarle a la policía.

15. Escribe la noticia del robo de la Dama Labradora, que aparecerá en la portada de un periódico del día siguiente.

NOTICIAS DIARIAS DE BARCELONA Y DEL MUNDO

BCN NOTICIAS

WWW.BCNDNOTICIAS.COM

Robada la Dama Labradora

El sistema de seguridad falla estrepitosamente.
El director de Alpha Security y su hijastro pueden estar implicados.

16. Completa las frases para resolver este crucigrama.

1. MNAC es el nombre de un ....*MUSEO*........
2. Gael y Miclaus son amigos y también son ....
3. Brezo es el .... de Gael.
4. Gael quiere robar la Dama Labradora por ....
5. La Dama Labradora es una ....
6. Todas las tardes, después de comer, Gael y Brezo dan un
7. La profesión de Gael es ....
8. Después de caminar con Brezo, por las tardes, Gael y Paloma duermen una ....
9. Ignacio dice que lo que menos le gusta a Aníbal es ....
10. La ciudad en la que Gael y sus amigos van a vender la Dama Labradora es ....
11. La ciudad en la que ocurre la historia se llama ....
12. El apodo de Gael es ....

Este libro se terminó de
imprimir en el verano
de 2018 en la ciudad de
Barcelona.